Collection dirigée par
Stéphanie Durand

L'INVITATION

RHÉA DUFRESNE
ILLUSTRATIONS DE VIRGINIE EGGER

Québec Amérique

Projet dirigé par Stéphanie Durand, éditrice

Conception graphique et mise en pages: Gabrielle Deblois et Nathalie Caron
Révision linguistique: Marie-Lise Demers
Illustrations: Virginie Egger

Québec Amérique
7240, rue Saint-Hubert
Montréal (Québec) Canada H2R 2N1
Téléphone: 514 499-3000, télécopieur: 514 499-3010

Nous reconnaissons l'aide financière du gouvernement du Canada.

Nous remercions le Conseil des arts du Canada de son soutien. L'an dernier, le Conseil a investi 157 millions de dollars pour mettre de l'art dans la vie des Canadiennes et des Canadiens de tout le pays.

Nous tenons également à remercier la SODEC pour son appui financier. Gouvernement du Québec – Programme de crédit d'impôt pour l'édition de livres – Gestion SODEC.

Canada

SODEC Québec

Catalogage avant publication de Bibliothèque et Archives nationales du Québec et Bibliothèque et Archives Canada

Dufresne, Rhéa, auteur
L'invitation / Rhéa Dufresne; illustrations de Virginie Egger.
(Petit Poucet)
Public cible: Pour les jeunes.
ISBN 978-2-7644-3701-8 (Version imprimée)
ISBN 978-2-7644-3702-5 (PDF)
ISBN 978-2-7644-3703-2 (ePub)
I. Egger, Virginie, illustrateur. II. Titre. III. Collection: Petit Poucet.
PS8607.U374I58 2019 jC843'.6 C2018-942396-X
PS9607.U374I58 2019

Dépôt légal, Bibliothèque et Archives nationales du Québec, 2019
Dépôt légal, Bibliothèque et Archives du Canada, 2019

quebec-amerique.com

Imprimé en Chine

VENDREDI

J'aime étirer mon trajet de retour à la maison et fouiner dans le quartier avant de rentrer. Vers 16 h, je me retrouve toujours devant la boulangerie d'où sort l'odeur des pains chauds et des pâtisseries.

ÇA ME DONNE FAiM ! Quelques pas plus loin c'est la clochette du nettoyeur qui m'appelle. Ici ça sent plutôt la lessive et l'humidité, mais madame Beauchemin a toujours une petite GÂTERiE pour moi dès que je pointe mon nez dans la porte. Au bout de la rue des commerçants, je suis attiré par les cris et les rires qui viennent du parc. Ça me donne envie d'aller y faire un tour.

Propre Inc

En général, c'est ma dernière escale avant la maison, mais aujourd'hui c'est **DIFFÉRENT**. Je raccompagne Gustave jusque chez lui. Ça fait déjà un bout de temps qu'on traîne ensemble, lui et moi, mais d'habitude on se sépare devant l'entrée du parc pour partir chacun de notre côté.

Soudain, sur la route qui mène chez Gustave, un chemin attire mon attention. Il prend naissance à la base du trottoir, juste sous mon nez. Il détonne **COMPLÈTEMENT** avec les allées pavées et bien droites des autres maisons. Il est fait de grandes pierres plates, dispersées çà et là

comme si elles étaient tombées de la besace d'un géant. J'ai levé les yeux et j'ai suivi du regard la rivière de pierres.

Au bout de ce chemin se trouve une **MAGNIFIQUE** porte rouge. Qui peut bien habiter là ? Immobile, les yeux rivés sur cette porte plus rouge qu'un camion de pompier, j'oublie Gustave qui continue son chemin et disparaît au coin de la rue. Je reste perdu dans la contemplation de la maison avant de me souvenir qu'il est temps de rentrer.

Mamie s'inquiète ces temps-ci.
Son déménagement la tracasse.
Elle ne cesse de me répéter :
« Qu'est-ce que tu vas devenir
sans moi, mon pauvre Jules ? »

SAMEDI

À deux rues de chez moi, la musique de Tchaïkovski m'invite à coller mon nez dans la vitrine de madame Maximova. J'aime observer les jolies ballerines droites comme des « i » montées sur leurs chaussons roses.

Par contre, là, je ne suis pas le bienvenu. Madame Maximova ne tolère **AUCUNE DISTRACTION**, le ballet c'est la discipline et clac !, elle me ferme les stores au nez.

Il est encore tôt, mais je ne peux résister à la tentation de passer à nouveau devant la maison au petit chemin. Les pierres du géant scintillent de la rosée du matin. Je remarque que la maison aussi est composée de grandes pierres grises qui la font paraître forte et solide. À la fenêtre entrouverte brille **UNE LUEUR DISCRÈTE** et je sens d'ici l'odeur du café.

J'aimerais m'aventurer un peu
plus loin et marcher dans
le gazon humide.

J'aimerais aller voir de plus près cette **MAISON**, mais mamie dit toujours qu'il n'est pas poli d'entrer sans être invité.

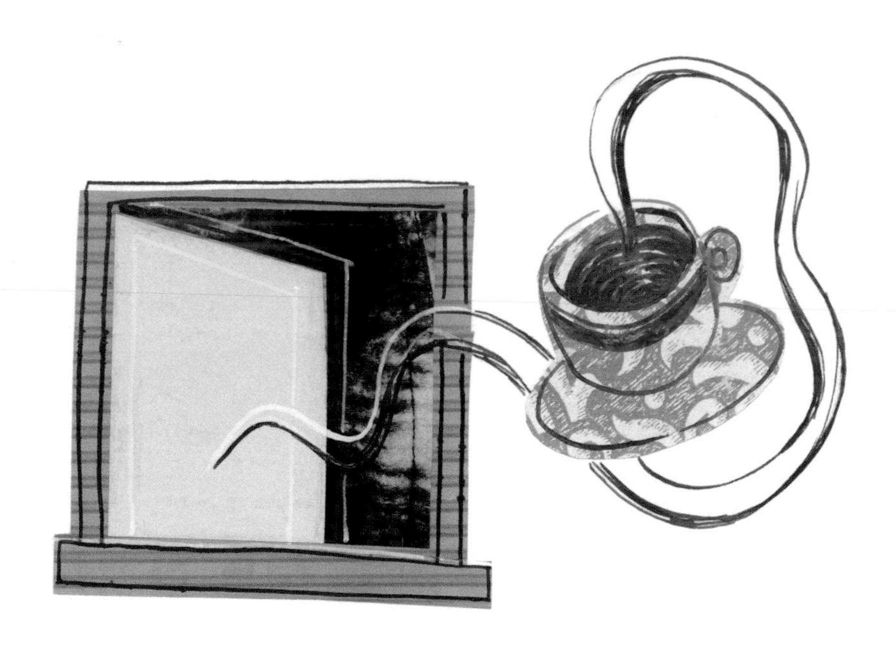

DIMANCHE

Question de ne pas devenir esclave de ma curiosité, ce matin j'ai décidé de suivre mon trajet habituel... mais me revoilà tout de même devant le petit chemin de pierres. Je crains que les gens me trouvent un air

louche à rester là, immobile,
devant cette maison.
Aujourd'hui le ciel est en colère,
le vent lui tient compagnie. Sous
les fenêtres, on dirait une petite
jungle. Il y a de hautes fougères
et d'autres plantes GÉANTES
que je ne connais pas. Elles se
balancent en suivant le vent.
J'aimerais conduire mamie
jusqu'ici ; je suis certain que
cette maison la ferait sourire.

Elle est bien fragile ma belle mamie. Elle pleure souvent et mes câlins arrivent à peine à lui rendre le sourire.

OH ! Le rideau vient de bouger.
Je crois qu'on m'a vu. Je file.

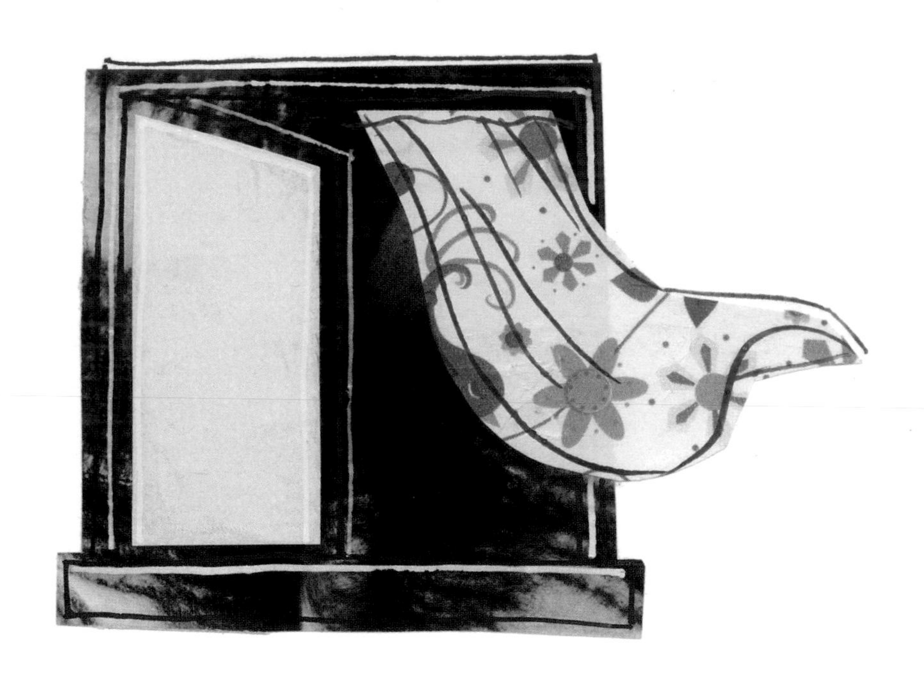

LUNDI

Ce soir je suis accueilli par des notes de musique qui sortent de la petite fenêtre de la lucarne. J'adore me balader après le coucher du soleil, je peux parfois voir ce qui se passe derrière les fenêtres. Pendant ma balade

hier soir, j'avais remarqué le piano à la fenêtre du haut, mais à ce moment-là personne n'en jouait. La **MÉLODIE** qui arrive à mes oreilles est juste, mais le rythme est lent. Un pianiste débutant sûrement. J'entends aussi une voix, le professeur peut-être. J'aimerais bien m'installer tout près du piano et me laisser bercer par ses VIBRATIONS. Cette maison a l'air si vivante. Tout le contraire de celle de mamie qui perd petit à petit son cœur à mesure que la pile

de boîtes GRANDIT. Chaque jour
la maison est un peu plus triste,
un peu plus vide et mamie aussi.

MARDI

Ma curiosité semble contagieuse et même si Gustave ne comprends pas pourquoi cet endroit m'intrigue autant, ça ne l'empêche pas de me suivre. Il se tient un peu plus à l'écart, mais maintenant il s'arrête, tout comme moi, pour regarder cette maison. Je le soupçonne d'être aussi **FOUINEUR** que moi et de vouloir, lui aussi, y jeter un œil. D'ailleurs, il n'y a pas que ma curiosité qui est contagieuse, l'inquiétude de mamie aussi. Désormais, même Gustave commence à se demander ce que je vais faire quand mamie partira. On a dit que je pourrais aller habiter chez lui, mais à bien y penser, un rigolo par maison c'est suffisant.

Tiens, voilà quelque chose qui n'était pas là hier. Sur la petite table à trois pattes, à gauche de la porte, on dirait un chapeau. Un chapeau de fille puisqu'il est blanc avec de grandes fleurs rouges.

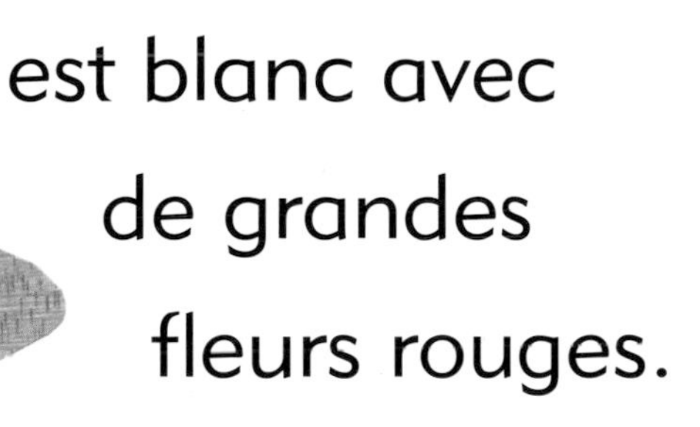

Peut-être la fille qui jouait du piano hier…

MERCREDI

Bientôt une semaine que je passe fréquemment ici et je n'avais rien vu, rien senti. Rien qui aurait pu me laisser deviner cette présence. Je deviens bien distrait ! Il est drôlement rigolo ce chaton roux. Bien installé sur la

bordure de la fenêtre, la queue
enroulée autour de ses pattes, il
a un petit air coquin.
Il regarde dans ma direction et
je vois un éclair de CURIOSITÉ
dans ses grands yeux verts.

Quelques instants d'observation
polie et je reprends mon chemin.

JEUDI

Plus les jours passent et plus je passe de temps dans le coin. On va finir par me remarquer, mais ça m'est égal. Je ne sais pas trop ce que j'espère ; mes pas me portent jusqu'ici et je me plais bien à regarder vivre cette maison. C'est peut-être parce que ma propre vie tombe en MIETTES. Hier une dame est venue voir mamie et elles ont parlé de moi. J'entendais mamie sangloter et la dame lui dire qu'il faudrait bientôt prendre une décision à mon sujet.

Tout est calme autour de la vieille MAISON de pierres. Rien ne bouge, que le vent qui fait danser les pissenlits qui poussent librement sur le gazon. J'ai toujours adoré ces petits soleils. La peur du ridicule m'empêche de me mettre à danser moi aussi comme les élèves de madame Maximova. Pourtant, l'herbe a l'air si douce... J'observe encore quelques minutes le BALLET des pissenlits, et je rentre. Mamie doit m'attendre pour souper.

VENDREDI

Je ne peux faire autrement ; je ne peux rester là ! Observer ces deux géants charger les boîtes dans leur grand camion et voir le regard désespéré de mamie c'est trop pour moi. Je fonce à toute allure en direction de la

grande maison de pierres. Je n'y suis pas encore tout à fait, mais je devine déjà qu'il y a des gens à l'extérieur. J'entends leurs voix. Tout à coup, je me sens timide.

Je ralentis. Je m'approche, le pas mal assuré, ne sachant trop ce que je vais découvrir.

Je jette un œil discret et aperçois le chapeau à fleurs rouges qui SAUTILLE sur le gazon. Plus de doute, il appartient bien à une fille. Quelques pas supplémentaires et je vois une

grande dame qui se tient non loin, un boyau d'arrosage à la main. À ses pieds, le chaton roux court et saute pour éviter les GOUTTELETTES d'eau. La mère et la fille rigolent lorsque la petite se tourne vers moi.

— Oh ! Maman, regarde le joli chat. Allez minet, viens ! Viens ! Ne sois pas timide.

Je m'élance alors avec souplesse, atterris sur les pierres du géant et trottine jusqu'à ma nouvelle maîtresse.

De la même auteure chez d'autres éditeurs

Sven le terrible – Pas de princesse pour les pirates !, Éditions Les 400 coups, 2018.
Tout le monde à bord !, Monsieur Ed, 2018.
Nuit de rêves, Éditions Les 400 coups, 2018.
Mémé à la plage, Éditions Les 400 coups, 2018.
Les mots, ça comptent un peu, beaucoup, énormément !, Éditions du Ricochet, 2017.
Un noël à trois, Éditions Les 400 coups, 2017.
Prémonitions, Bayard Canada, 2017.
Le cycle draconique – La révolte des Faucheurs, Bayard Canada, 2017.
Sven le terrible – Pas de vacances pour les pirates !, Éditions Les 400 coups, 2017.
Dessus-dessous, Éditions de l'Isatis, coll. Clin d'œil, 2016.
Les émotions, ça chahute un peu, beaucoup, énormément, Éditions du Ricochet, 2016.
Un bon jour pour la chasse aux dragons, Éditions Les 400 coups, 2016.
Le cycle draconique – La trahison des Chuchoteurs, Bayard Canada, 2016.
Le cycle draconique – L'éveil des Grands Hurleurs, Bayard Canada, 2016
Sauve-qui-peut l'été, Éditions Les 400 coups, 2015.
Mystère du printemps, Éditions Les 400 coups, 2015 .
Les aventures de Marine Minuscule – tome 2, Bayard Canada, coll. Cheval masqué, 2015.
Le temps, ça dure un peu, beaucoup, énormément, Éditions du Ricochet, 2015.
La nuit, Éditions de l'Isatis, coll. Clin d'œil, 2015.
Un clic de trop, Bayard Canada, 2014.
- GAGNANT DU PRIX TAMARAK 2016

Collation d'hiver, Éditions Les 400 coups, 2014
Poisson d'automne, Éditions Les 400 coups, 2014
Les aventures de Marine Minuscule, Bayard Canada, coll. Cheval masqué, 2014.
Les vacances, Éditions de l'Isatis, coll. Clin d'œil, 2014 .
Grand vent, petit vent, Éditions de l'Isatis, coll. Clin d'œil, 2013.
Ma journée, mes humeurs, Éditions de l'Isatis, coll. Clin d'œil, 2013.
Aujourd'hui le ciel, Éditions de l'Isatis, coll. Clin d'œil, 2012.
Arachnéa, Éditions de l'Isatis, coll. Argo, 2012.

Photo : © Léa Desbiens

RHÉA DUFRESNE

AUTEURE

Rhéa Dufresne est une touche-à-tout. Elle exerce, dans un joyeux désordre, les métiers d'animatrice, de directrice éditoriale, de formatrice et d'auteure. Ses albums sont empreints d'un humour et d'une fantaisie qui plaisent aux petits. Même pour eux, elle aime utiliser des mots originaux et un peu compliqués. Lorsque ses histoires s'adressent aux plus grands, elle prend plaisir à multiplier les personnages et à inventer des univers particuliers.

De la même illustratrice

Ma boule de plumes, Éditions de l'Isatis, coll. Clin d'œil, 2016.
Mon prince à moi, Éditions de la Bagnole, 2016.
Mon grand rêve, Éditions de la Bagnole, coll. Klaxon, 2014.
Quelle salade !, Éditions de la Bagnole, 2012.
Porthos et la colère du chat-serpent, Dominique et compagnie, coll. Roman noir, 2010.
Porthos et l'arche de la fin du monde, Dominique et compagnie, coll. Roman noir, 2010.
Lilou à la rescousse, Boréal, coll. Boréal Junior, 2009.
Mon premier amour, Dominique et compagnie, 2009.
Porthos et la menace aux yeux rouges, Dominique et compagnie, coll. Roman noir, 2009.
Porthos et les tigres à dents de sabre, Dominique et compagnie, coll. Roman noir, 2009.
Papy, où t'as mis tes dents ?, Les 400 coups, coll. Bande rouge, 2008.
Débile toi-même ! et autres poèmes tordus, Les 400 coups, coll. Poésie, 2007.
Lilou déménage, Boréal, coll. Boréal Junior, 2007.
Voyage en Amnésie et autres poèmes débiles, Les 400 coups, coll. Poésie, 2004.
Recette d'éléphant à la sauce vieux pneu, Les 400 coups, coll. Carrément petit, 2002.

Photo : © M. Levert

VIRGINIE EGGER

ILLUSTRATRICE

Virginie Egger est auteure et illustratrice de plusieurs albums jeunesse. Avec sa technique singulière de collage, elle fusionne photos et textures à l'encre pour exprimer la multiplicité des cultures, des formes et des couleurs. Ses illustrations audacieuses sont publiées dans de nombreux livres jeunesse, magazines au Canada, aux États-Unis et en Europe. Son travail a reçu maintes distinctions, dont le prestigieux Prix du Gouverneur général.

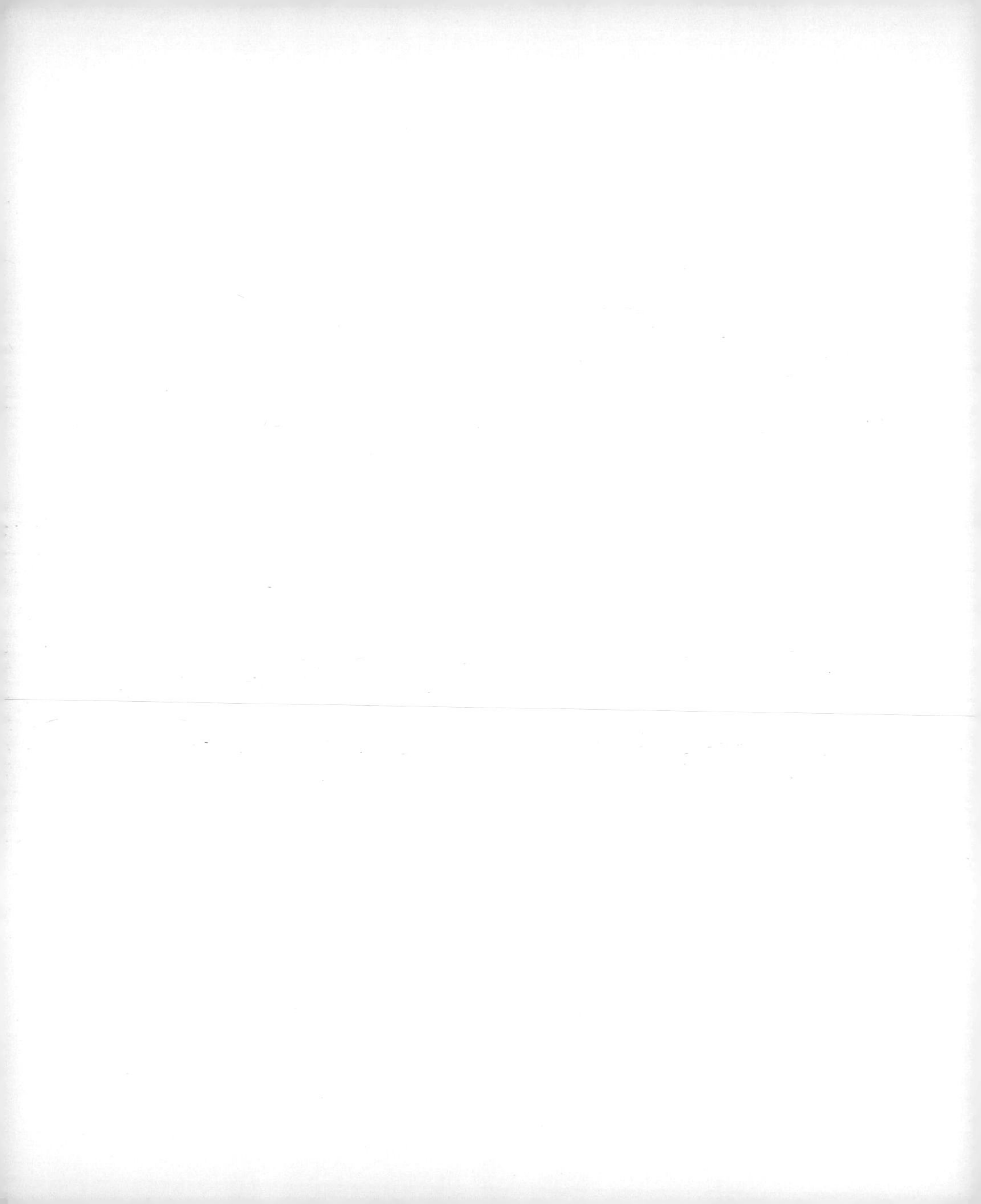